KV-748-293

图书在版编目（CIP）数据

绿蝈蝈：虚荣的歌手 / 齐遇编绘 .—武汉：长江出版社，2016.4
（法布尔昆虫记绘本）
ISBN 978-7-5492-4201-6

Ⅰ.①绿… Ⅱ.①齐… Ⅲ.①儿童文学—图画故事—中国—当代 Ⅳ.① I287.8

中国版本图书馆 CIP 数据核字（2016）第 089294 号

lǜ guō guo xū róng de gē shǒu

绿蝈蝈：虚荣的歌手

绿蝈蝈：虚荣的歌手 齐遇/编绘

责任编辑：高 伟
装帧设计：新奇遇文化
出版发行：长江出版社
地 址：武汉市解放大道1863号 邮 编：430010
网 址：http://www.cjpress.com.cn
电 话：（027）82926557（总编室）
（027）82926806（市场营销部）
经 销：各地新华书店
印 刷：湖北嘉仑文化发展有限公司
规 格：710mm × 960mm 1/16 4印张
版 次：2016年4月第1版 2022年4月第8次印刷
ISBN 978-7-5492-4201-6
定 价：15.80元

法布尔昆虫记 绘本

绿蝈蝈——虚荣的歌手

齐遇 / 编绘

长江出版社
CHANGJIANG PRESS

序言

我们的世界是如此美好！

昆虫，仿佛我们这个世界的精灵，在树林间，在草丛里，或振翅飞舞，或浅吟低唱……它们的生命大多短暂，但它们的故事却很精彩。

孩子们是多么喜爱昆虫啊！他们追逐着夏夜的萤火虫，跟着可爱的蜻蜓奔跑；他们观察圣甲虫团粪球，倾听蝉的欢唱。

真的要感谢法布尔先生。这位伟大的昆虫学家，用细致入微的观察，用细腻恬淡的文笔，将神秘的昆虫世界呈现在我们面前。他是那么热爱那些小精灵，与其说他是在研究昆虫，倒不如说他倾尽所有的爱，呵护着那些小生命。厚厚一部《昆虫记》是法布尔先生留给我们的最宝贵的遗产，这就是爱——爱生活，爱自然，爱生命。

《昆虫记》是一部百年经典，多少年来深受中国读者喜爱。据了解，目前国内图书市场上各种版本的《昆虫记》不下百种，我们这套注音版《法布尔昆虫记绘本》，从严格意义上来说，是一部昆虫童话。每一个故事，都力求生动有趣；每一幅画面，都力求栩栩如生。

我们在创作这些昆虫童话时，牢牢根植于原版《昆虫记》，将各种昆虫的特点、习性完美地融入故事中，读起来既有趣味，又能在不知不觉中了解很多昆虫知识。因此，这套《法布尔昆虫记绘本》可以说是科普和文学完美结合的佳作。

那么，就让我们一起走近法布尔先生，走近我们的昆虫朋友吧！

绿蝈蝈

虚荣的歌手

绿色的蝈蝈儿，我的心肝啊，
如果你拉的琴再响亮一点，
那么你就是比嘶哑的蝉更胜一筹的歌手。
然而，在我国北方，
人们却让蝉篡夺了你的名字和声誉啊！

——法布尔

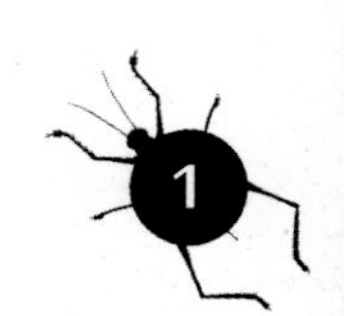

yán rè de qī yuè liǎng zhī mǎ yǐ duǒ zài shù yīn dǐ
炎热的七月，两只蚂蚁躲在树荫底
xia tán lùn zhe jīn nián de yīn yuè dà sài nǐ cāi zhè cì
下，谈论着今年的音乐大赛。“你猜这次
de guàn jūn huì shì shuí wǒ cāi shì xī shuài tā de sǎng
的冠军会是谁？”“我猜是蟋蟀，它的嗓
yīn kě hǎo tīng la wǒ cāi shì chán tā de shēng yīn
音可好听啦！”“我猜是蝉！它的声音
duō me gāo kàng hóng liàng a
多么高亢、洪亮啊！”

zhèng zài yì páng tōu tīng de guō guo yǒu xiē nǎo nù wǒ de sǎng
正在一旁偷听的蝈蝈有些恼怒："我的嗓
yīn yě bú cuò a píng shén me bù shuō shì wǒ ne tā cháo zhe shù
音也不错啊，凭什么不说是我呢？"它朝着树
shang de chán chǒu le chǒu lěng hēng yì shēng jiù tiào dào bié chù qù le
上的蝉瞅了瞅，冷哼一声就跳到别处去了。

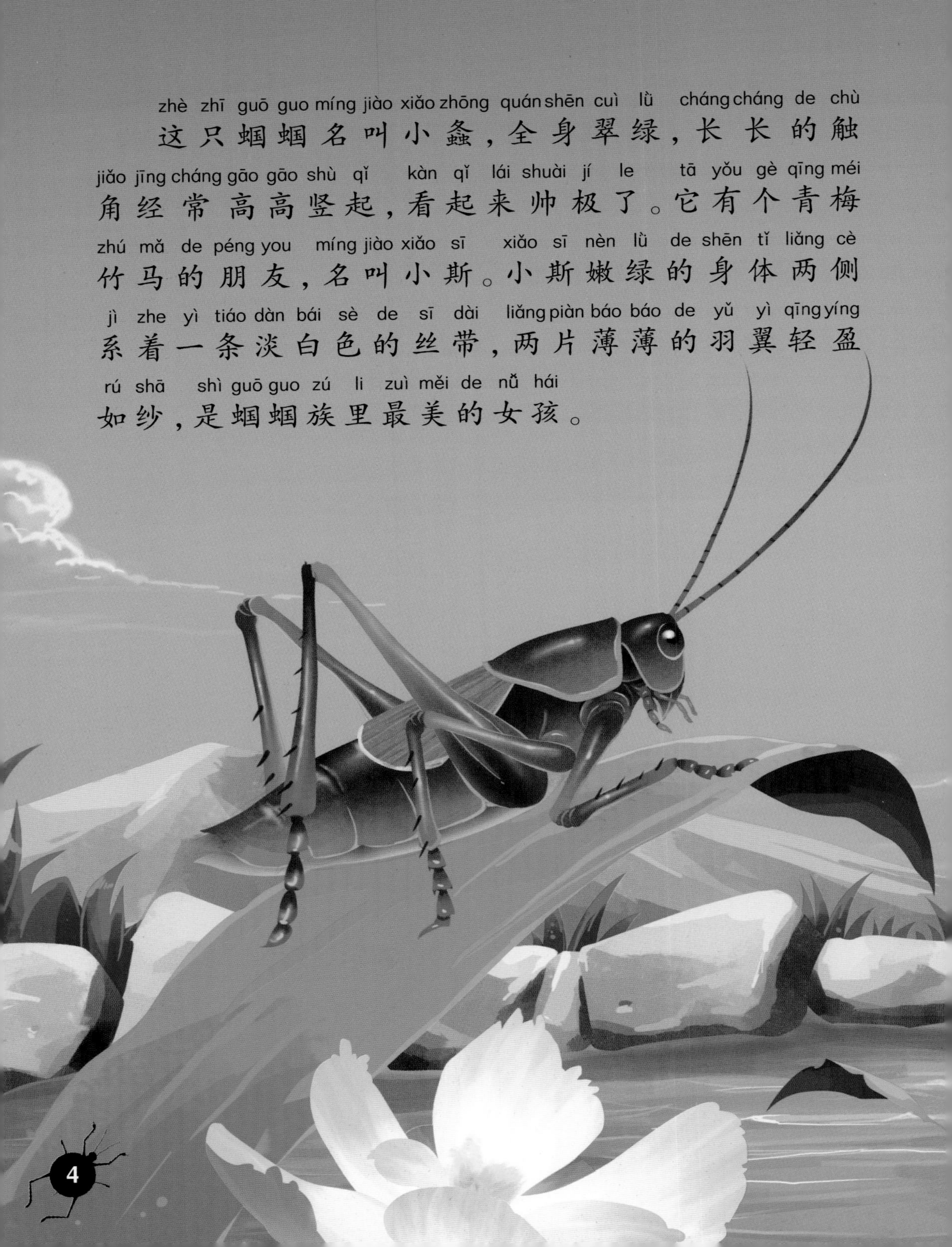

zhè zhī guō guo míng jiào xiǎo zhōng quán shēn cuì lǜ cháng cháng de chù
这只蝈蝈名叫小螽，全身翠绿，长长的触
jiǎo jīng cháng gāo gāo shù qǐ kàn qǐ lái shuài jí le tā yǒu gè qīng méi
角经常高高竖起，看起来帅极了。它有个青梅
zhú mǎ de péng you míng jiào xiǎo sī xiǎo sī nèn lǜ de shēn tǐ liǎng cè
竹马的朋友，名叫小斯。小斯嫩绿的身体两侧
jì zhe yì tiáo dàn bái sè de sī dài liǎng piàn báo báo de yǔ yì qīng yíng
系着一条淡白色的丝带，两片薄薄的羽翼轻盈
rú shā shì guō guo zú li zuì měi de nǚ hái
如纱，是蝈蝈族里最美的女孩。

shuō cáo cāo cáo cāo dào xiǎo sī yuǎn yuǎn bēn
说曹操，曹操到。小斯远远奔
lái tiào dào xiǎo zhōng miàn qián wǒ jiù zhī dào nǐ
来，跳到小螽面前：“我就知道你
zài zhè er hú biān zhè kē yòu gāo yòu tǐng bá de xiǎo
在这儿！湖边这棵又高又挺拔的小
cǎo shì nǐ zuì xǐ huan dāi de dì fang
草，是你最喜欢待的地方！”

āi nǐ jīn tiān zěn me méi yǒu guò lái zhǎo wǒ a xiǎo sī
“哎，你今天怎么没有过来找我啊？”小斯
yáng le yáng bǐ shēn tǐ hái cháng de chù jiǎo shuō wǒ zhī dào le nǐ
扬了扬比身体还长的触角说，“我知道了，你
shì zài dān xīn yīn yuè dà sài duì bú duì bú yòng dān xīn bù guǎn
是在担心音乐大赛，对不对？不用担心，不管
jié guǒ zěn me yàng nǐ zài wǒ xīn zhōng yǒng yuǎn dōu shì guàn jūn
结果怎么样，你在我心中永远都是冠军！”

xiǎo zhōng xiào le xiào tū rán áng qǐ tóu jiān dìng de shuō fàng
小螽笑了笑，突然昂起头，坚定地说：“放
xīn wú lùn rú hé wǒ dōu huì shì guàn jūn de kàn jiàn xiǎo zhōng yán
心，无论如何我都会是冠军的！”看见小螽严
sù de biǎo qíng xiǎo sī yòu quàn tā bú yào tài zài yì jié guǒ xiǎo zhōng
肃的表情，小斯又劝它不要太在意结果，小螽
méi yǒu kēng shēng zhǐ shì dāi dāi de wàng zhe yuǎn fāng
没有吭声，只是呆呆地望着远方。

yè shēn le yuè guāng xià yì zhī hún shēn qī hēi de xī shuài
夜深了。月光下，一只浑身漆黑的蟋蟀，
zài cǎo dì shang shēn qíng de gē chàng zhe hng chàng de guǒ rán bú
在草地上深情地歌唱着。“哼，唱得果然不
cuò xiǎo zhōng duǒ zài cǎo cóng li hèn hèn de shuō tū rán tā bèng
错！”小螽躲在草丛里恨恨地说。突然，它蹦
le chū lái zháo jí de hǎn zhe shuài shuai shuài shuai shén me shì
了出来，着急地喊着：“帅帅，帅帅！”“什么事
bǎ nǐ jí chéng zhè yàng xī shuài hào qí de wèn
把你急成这样？”蟋蟀好奇地问。

xiǎo zhōng gāo xìng de huàng le huàng tóu shang de chù jiǎo xīng fèn
小螽高兴地晃了晃头上的触角，兴奋

de shuō hǎo xiāo xi shuài shuai nǐ bèi yāo qǐng cān jiā sēn lín yīn yuè
地说："好消息！帅帅，你被邀请参加森林音乐

shèng diǎn le nà kě shì dà chǎng miàn de yīn yuè huì a yǒu míng qi
盛典了！那可是大场面的音乐会啊，有名气

de gē shǒu cái huì bèi yāo qǐng
的歌手才会被邀请！"

zhè shì zhēn de ma xiǎo zhōng shuài shuai jī dòng de yáng le
“这是真的吗，小螽？”帅帅激动地扬了
yáng chù jiǎo shì zhēn de shuài shuai jīn tiān xǐ que guò lái zhǎo nǐ
扬触角。“是真的，帅帅！今天喜鹊过来找你，
gāng hǎo yù shàng wǒ jiù tuō wǒ zhuǎn gào nǐ nǐ yě zhī dào xǐ què
刚好遇上我，就托我转告你。你也知道，喜鹊
tā men hěn máng de yǒu hěn duō gē shǒu xū yào tōng zhī
它们很忙的，有很多歌手需要通知。”

shuài shuai xiǎng le xiǎng shuō yīn yuè shèng diǎn shén me shí hou kāi
帅帅想了想，说：“音乐盛典什么时候开
shǐ jiù zài míng tiān wǎn shang míng tiān wǎn shang nà wǒ
始？”“就在明天晚上！”“明天晚上？那我
jiù bù néng cān jiā yīn yuè dà sài le hēi hái xiǎng shén me yīn yuè
就不能参加音乐大赛了。”“嗨，还想什么音乐
dà sài a gǎn jǐn qù ba zài nà lǐ kě yǐ jiàn dào hěn duō míng xīng
大赛啊！赶紧去吧，在那里可以见到很多明星，
nǐ yào shi cuò guò le bú jiù tài kě xī la
你要是错过了，不就太可惜啦？”

hǎo de　nà wǒ zhè jiù qù la

“好的，那我这就去啦！”

shuài shuai shuō wán　tóu yě bù huí de lí kāi

帅帅说完，头也不回地离开

le　wàng zhe shuài shuai xiāo shī de bèi yǐng

了。望着帅帅消失的背影，

xiǎo zhōng de zuǐ jiǎo yàng qǐ yì sī dé yì

小螽的嘴角漾起一丝得意，

zhuǎn shēn xiàng fù jìn de yì kē wú tóng shù

转身向附近的一棵梧桐树

tiào qù

跳去。

yí zhèn āi míng bān de shēng yīn tū rán cóng nóng mì de wú tóng
一阵哀鸣般的声音，突然从浓密的梧桐

shù zhī li chuán lái yì zhī guō guo lán yāo jiāng chán láo láo zhuā zhù jiāng
树枝里传来。一只蝈蝈拦腰将蝉牢牢抓住，将

tóu shēn jìn chán de dǔ zi shēn chù yì xiǎo kǒu yì xiǎo kǒu bǎ dù cháng
头伸进蝉的肚子深处，一小口一小口把肚肠

lā chū lái
拉出来。

zhuǎn yǎn dì shang jiù zhǐ shèng xià chán de duàn zhī cán tuǐ le
转眼，地上就只剩下蝉的断肢残腿了。
guō guo tái qǐ tóu kàn le kàn sì zhōu zhǔn bèi lí kāi hū rán fā xiàn cǎo
蝈蝈抬起头看了看四周，准备离开，忽然发现草
cóng li shǎn guò yí gè hēi sè de shēn yǐng guō guo gǎn jǐn tiào le guò
丛里闪过一个黑色的身影。蝈蝈赶紧跳了过
qù zǐ xì chǒu le chǒu dàn shén me yě méi fā xiàn
去，仔细瞅了瞅，但什么也没发现。

yè mù zài yí cì jiàng lín shí dà jiā yǐ jīng qí jù dào cǎo dì
夜幕再一次降临时，大家已经齐聚到草地

shang cǎo cóng li rè nao jí le yīn yuè dà sài kāi shǐ le gē shǒu men
上，草丛里热闹极了。音乐大赛开始了，歌手们

zài tái shang rè qíng yáng yì de biǎo yǎn tái xià bù shí de xiǎng qǐ yí
在台上热情洋溢地表演，台下不时地响起一

zhèn zhèn zhǎng shēng
阵阵掌声。

lún dào xiǎo zhōng biǎo yǎn shí tā xìn xīn shí zú de zǒu shàng tái

轮到小螽表演时，它信心十足地走上台，

chuí xià sī zhuàng chù jiǎo rán hòu tái qǐ tóu chuí xià dù zi shēn tǐ

垂下丝状触角，然后抬起头，垂下肚子，身体

zhèn dòng zhe liǎng zhī qián chì xiāng hù mó cā fā chū qīng cuì yuè ěr de

震动着，两只前翅相互摩擦，发出清脆悦耳的

shēng yīn zài jì jìng de yè lǐ zhè yuè shēng jiù xiàng yì shǒu yōu měi

声音。在寂静的夜里，这乐声就像一首优美

de shī

的诗。

wā tái xià xiǎng qǐ yí piàn huān hū shēng xiǎo sī wèi xiǎo
“哇——”，台下响起一片欢呼声。小斯为小
zhōng jīng cǎi de biǎo yǎn ér gāo xìng jī dòng de kū le qǐ lái xiǎo zhōng
螽精彩的表演而高兴，激动得哭了起来。小螽
chéng le zhè cì bǐ sài de guàn jūn zài dà jiā de zhù mù xià xiǎo zhōng
成了这次比赛的冠军。在大家的注目下，小螽
zhǔn bèi fā biǎo huò jiǎng gǎn yán
准备发表获奖感言。

yí shuài shuai hé chán qù nǎ er la shì a zěn me
“咦，帅帅和蝉去哪儿啦？”“是啊！怎么
méi jiàn dào tā liǎ a tái xià de yì lùn yí zhèn zhèn de chuán jìn
没见到它俩啊？”台下的议论一阵阵地传进
xiǎo zhōng de ěr duo li xiǎo zhōng de xīn yǒu xiē huāng luàn pēng pēng
小螽的耳朵里。小螽的心有些慌乱，“怦怦
pēng měng liè de tiào zhe tā shēn xī jǐ kǒu qì jié lì shǐ zì jǐ
怦”，猛烈地跳着。它深吸几口气，竭力使自己
bǎo chí zhèn jìng
保持镇静。

jiù zài zhè shí yí zhèn yōu yáng de gē shēng tū rán xiǎng qǐ jiù
就在这时，一阵悠扬的歌声突然响起，就
xiàng xī yáng xià bèi wēi fēng chuī fú de yáng liǔ bān qīng róu bù zhī bù
像夕阳下被微风吹拂的杨柳般轻柔。不知不
jué jiān tái xià de guān zhòng jìng dōu tīng de rù mí le yí gè hēi sè
觉间，台下的观众竟都听得入迷了。一个黑色
de shēn yǐng màn màn chū xiàn zài dà jiā yǎn qián tā de huái li sì hū hái
的身影慢慢出现在大家眼前，它的怀里似乎还
bào zhe xiē shén me
抱着些什么。

guān zhòng men fēn fēn wèn dào shuài shuai nǐ huái li bào de
观众们纷纷问道：“帅帅？你怀里抱的
shì shì chán yì zhī xiǎo mǎ yǐ shuài xiān jiào le qǐ lái
是……”“是蝉！”一只小蚂蚁率先叫了起来。
duì shì chán de cán zhī duàn tuǐ shuài shuai lěng lěng de kàn zhe xiǎo
“对，是蝉的残肢断腿！”帅帅冷冷地看着小
zhōng fèn nù de shuō xiǎo zhōng de tuǐ bú zì jué de fā qǐ dǒu lái
螽，愤怒地说。小螽的腿不自觉地发起抖来。

chán sǐ le guānzhòng yǒu xiē bù gǎn xiāng xìn duì
“蝉……死了？”观众有些不敢相信。“对，
jiù shì tā gàn de shuàishuai zhǐ zhe xiǎozhōng wú bǐ jī dòng de hǎn
就是它干的！”帅帅指着小螽，无比激动地喊
dào yí shùn jiān xiǎozhōng jué de xīn zàng dōu kuài bèng chū lái le liǎng
道。一瞬间，小螽觉得心脏都快蹦出来了，两
zhī dà fù yǎn jīng yà de wàng zhe shuàishuai yí duì cháng chù jiǎo jǔ de
只大复眼惊讶地望着帅帅，一对长触角举得
lǎo gāo
老高。

xiǎo zhōng huí guò tóu lái fā xiàn yǒu wú shù shuāng yǎn jing zhèng
小螽回过头来，发现有无数双眼睛正
dīng zhe zì jǐ qí zhōng hái yǒu xiǎo sī de tā bú xiè de hēng le yì
盯着自己，其中还有小斯的。它不屑地哼了一
shēng qiáng zhuāng zhèn dìng de shuō nǐ nǐ zěn me zhèng míng jiù shì wǒ
声，强装镇定地说：“你，你怎么证明就是我
gàn de
干的？”

shuài shuai dèng zhe xiǎo zhōng jiāng chán de cán zhī màn màn de fàng dào
帅帅瞪着小螽，将蝉的残肢慢慢地放到

dì shang bēi fèn de shuō nà tiān nǐ piàn wǒ qù cān jiā sēn lín yīn yuè
地上，悲愤地说：“那天你骗我去参加森林音乐

shèng diǎn wǒ zǒu dào yí bàn tū rán xiǎng qǐ nǐ wàng le gěi wǒ yāo qǐng
盛典，我走到一半，突然想起你忘了给我邀请

hán yú shì fǎn huí qù zhǎo nǐ méi xiǎng dào jīng guò wú tóng shù shí què
函，于是返回去找你。没想到经过梧桐树时，却

kàn jiàn nǐ zài cán rěn de kěn shí chán
看见你在残忍地啃食蝉！”

“没错！后来帅帅告诉了我一切。我让它暂时不要露面，因为我知道，小螽是不会轻易放过帅帅的！”小蚂蚁大声地说。台下的观众都愤怒地瞪着小螽。小螽觉得腿软，踉跄地向后退了几步，不知道该说什么。

shuài shuai zài zhè shí chōng dào xiǎo zhōng de miàn qián shuō nǐ wèi
帅帅在这时冲到小螽的面前说：“你为
shén me yào zhè yàng zuò wǒ dāng nǐ shì hǎo péng yǒu xìn rèn nǐ nǐ
什么要这样做？我当你是好朋友，信任你，你
què qī piàn wǒ nǐ zhè ge xiōng shǒu mǎ yǐ yě pǎo guò lái tuī
却欺骗我！你这个凶手！”蚂蚁也跑过来，推
sǎng zhe xiǎo zhōng dà hǎn dà jiào xiōng shǒu kuài gǔn kāi tái xià
搡着小螽，大喊大叫：“凶手！快滚开！”台下
de guān zhòng yě gēn zhe hǎn qǐ lái
的观众也跟着喊起来。

hùn luàn zhōng xiǎo zhōng kàn jiàn le xiǎo sī shī wàng de yǎn shén hái
混乱中，小螽看见了小斯失望的眼神，还
yǒu tā zhuǎn shēn xiāo shī zài yè mù xià de bèi yǐng kuài lí kāi zhè lǐ
有它转身消失在夜幕下的背影。“快离开这里，
nǐ zhè ge xiōng shǒu fèn nù de shuài shuai yì biān hǎn zhe yì biān
你这个凶手！”愤怒的帅帅一边喊着，一边
tiào dào tái shang bǎ xiǎo zhōng tuī le xià qù
跳到台上，把小螽推了下去。

yè hěn liáng hěn jìng yì zhī guō guo shī hún luò pò de zǒu zài cǎo dì
夜很凉很静，一只蝈蝈失魂落魄地走在草地

shang zuǐ li nán nán de shuō zhe méi le guàn jūn méi le xiǎo sī méi
上，嘴里喃喃地说着：“没了，冠军没了，小斯没

le shén me dōu méi le shì wǒ zuò cuò le ma wǒ cuò le ma
了，什么都没了！是我做错了吗？我错了吗？”

昆虫知识卡

绿蝈蝈，一种全身翠绿的昆虫，雄虫善于鸣叫，常在夜晚活动。尽管它个子小小的，却喜欢攻击比自己大得多的强而有力的庞然大物，比如蝉。蝈蝈有力的大颚、锐利的钳子，总是能把它的俘虏开膛破肚，而蝉没有武器，只能哀鸣踢蹬。

大头黑步甲

威武的刽子手

打仗这个事情对精明强壮的人来说，
也不一定就得心应手、驾轻就熟。
瞧瞧步甲这个昆虫族类中狂热的喜好打斗的家伙吧，
它会干什么呢？在技艺方面，大头黑步甲一窍不通。
然而，当这个刽子手穿上那件齐膝紧身外衣时，
倒也相貌堂堂、雍容华贵。

——法布尔

luò rì de yú huī sǎ zài shā tān shang hǎi làng yí zhèn zhèn de pāi
落日的余晖洒在沙滩上，海浪一阵阵地拍

dǎ zhe àn biān de jiāo shí shēn wéi yì míng zhèng zhí de guì zi shǒu
打着岸边的礁石。“身为一名正直的刽子手，

wǒ huì ràng nǐ sǐ de míng míng bái bái yì zhī dà tóu hēi bù jiǎ
我会让你死得明明白白！”一只大头黑步甲

shēn chū liǎng zhī qián zú láo láo de qiā zhù yì zhī hēi róng jīn guī de bó
伸出两只前足，牢牢地掐住一只黑绒金龟的脖

zi yì zhèng cí yán de shuō yīn wèi nǐ kěn shí yè zi pò huài huā
子，义正词严地说，“因为你啃食叶子，破坏花

duǒ huǐ huài guǒ shí
朵，毁坏果实！”

zhè wèi guì zi shǒu chén shù wán hēi róng jīn guī de zuì zé jiù jiāng
这位刽子手陈述完黑绒金龟的罪责，就将
shòu xíng zhě tuō dào yí chù cǎo cóng mì bù de yōu àn dì cóng róng bú pò
受刑者拖到一处草丛密布的幽暗地，从容不迫
de xiǎng yòng qǐ lái guì zi shǒu míng jiào mù mu shēn chuān yí jiàn yāo
地享用起来。刽子手名叫木木，身穿一件腰
bù jǐn suō de hēi sè wài yī xǐ huan zài rì luò hòu chū lái huó dòng tā
部紧缩的黑色外衣，喜欢在日落后出来活动。它
rèn zhēn de lǚ xíng zhe guì zi shǒu de zhí zé háo bù liú qíng de zhǎn shā
认真地履行着刽子手的职责，毫不留情地斩杀
fù jìn de hài chóng
附近的害虫。

mù mu rēng diào hēi róng jīn guī de cán zhī duàn tuǐ xiàng
木木扔掉黑绒金龟的残肢断腿，向
cǎo cóng wài zǒu qù tā chuān guò céng céng cǎo yè shí bù
草丛外走去。它穿过层层草叶时，不
jīng yì jiān kàn jiàn zài yì zhū jiào gāo de qīng cǎo shang pā zhe
经意间看见，在一株较高的青草上，趴着
chéng qún jié duì de wō niú
成群结队的蜗牛。

jīn tiān pèng jiàn wǒ suàn nǐ men dǎo méi mù mu dīng zhe wō
“今天碰见我，算你们倒霉。”木木盯着蜗
niú mài zhe liù tiáo tuǐ xióng jiū jiū qì áng áng de xiàng cǎo yè pá qù
牛，迈着六条腿，雄赳赳气昂昂地向草叶爬去，
yàng zi huó xiàng gè shén qì de jiāng jūn
样子活像个神气的将军。

shēn wéi yì míng zhèng zhí de guì zi shǒu wǒ huì ràng nǐ men sǐ
“身为一名正直的刽子手，我会让你们死
de míng míng bái bái mù mu dīng zhe wō niú shuō yīn wèi nǐ men
得明明白白！”木木盯着蜗牛说，“因为你们
yě pò huài le zhí wù chèn duì fāng tàn chū shēn zi shí mù mu xùn
也破坏了植物！”趁对方探出身子时，木木迅
sù yòng qián zi yì bān de dà è jiāng wō niú de ròu cóng ké li chě chū
速用钳子一般的大颚，将蜗牛的肉从壳里扯出
lái jiē zhe zài jiāng ròu tūn xià
来，接着再将肉吞下。

mù mu jiāng yì zhī yòu yì zhī de wō niú shéng zhī yǐ
木木将一只又一只的蜗牛绳之以

fǎ yǎn kàn jiù shèng xià zuì hòu yì zhī wō niú le tū rán
法，眼看就剩下最后一只蜗牛了。突然，

yì zhī dà niǎo tiē zhe dì miàn xiàng zhè biān fēi lái mù mu běn
一只大鸟贴着地面向这边飞来。木木本

néng de xiàng xià pá qù yǐ duǒ bì dà niǎo de xí jī méi
能地向下爬去，以躲避大鸟的袭击，没

xiǎng dào jiǎo xià yì huá zhuàng xiàng le dǐ xia de wō niú
想到脚下一滑，撞向了底下的蜗牛……

yīng yīng yīng yì zhī cāng ying fēi guò lái pā
“嘤嘤嘤”，一只苍蝇飞过来，趴
zài cǎo jiān shang kàn zhe dì shang de mù mu sī cǔn
在草尖上看着地上的木木，思忖
zhe zhè ge mù mu yǎng wò zài dì yí dòng bú dòng liù
着：这个木木仰卧在地一动不动，六
zhī jiǎo shōu lǒng jǐn tiē fù bù chù jiǎo zhǎn kāi dà è
只脚收拢紧贴腹部，触角展开，大颚
yě zhāng zhe mò fēi sǐ le
也张着，莫非死了？

mù mu mù mu cāng ying shì tàn xìng de hǎn le jǐ shēng
“木木！木木？”苍蝇试探性地喊了几声，
rán hòu fēi dào mù mu de shēn biān qīng qīng de pèng le pèng tā de tuǐ
然后飞到木木的身边，轻轻地碰了碰它的腿，
hái shi yì diǎn fǎn yìng dōu méi yǒu hā hā kàn lái dí què shì sǐ
还是一点反应都没有。“哈哈，看来的确是死
le āi yā nǐ yě huì yǒu jīn tiān a nǐ píng cháng bú shì tǐng wēi
了！哎呀，你也会有今天啊！你平常不是挺威
wǔ tǐng néng dǎ de ma cāng ying kāi xīn de cuō zhe shǒu jí bù kě
武、挺能打的吗？”苍蝇开心地搓着手，急不可
dài de xiǎng yào chī diào mù mu
待地想要吃掉木木。

tū rán mù mu de qián tuǐ wēi wēi dǒu le qǐ lái chún xū hé chù
突然，木木的前腿微微抖了起来，唇须和触
jiǎo yě kāi shǐ huǎn huǎn bǎi dòng rán hòu tā huī wǔ zhe shǒu jiǎo shǐ jìn
角也开始缓缓摆动，然后它挥舞着手脚，使劲
yòng tóu hé bèi bù zhī chēng qǐ shēn tǐ zhà shī la zhà shī la
用头和背部支撑起身体。“诈尸啦，诈尸啦！”
kàn jiàn mù mu de shī tǐ tū rán dòng qǐ lái cāng ying yí gè liàng qiàng dǎo
看见木木的尸体突然动起来，苍蝇一个踉跄倒
zài dì shang lián chì bǎng dōu wàng jì shān dòng le
在地上，连翅膀都忘记扇动了。

“哎哎哎，瞎嚷嚷什么呢！”木木站起身，慢慢地逼近苍蝇，“你也是个害虫，不能留！”木木说着，就举起了带有细齿的前足。“等等！”苍蝇仓皇后退，着急地说，“你不想知道刚才究竟发生了什么事吗？”

mù mu huí xiǎng le yí xià yǒu xiē dì fang dí què hěn mó hu yú
木木回想了一下，有些地方的确很模糊，于
shì tā fàng xià qián zú děng dài cāng ying de jiǎng shù kàn jiàn mù mu de
是它放下前足，等待苍蝇的讲述。看见木木的
qíng xù shāo yǒu huǎn hé cāng ying gǎn jǐn shuō dāng shí nǐ zhuàng zài le
情绪稍有缓和，苍蝇赶紧说：“当时你撞在了
wō niú de shēn shang rán hòu nǐ men jiù yì qǐ shuāi zài le dì shang wǒ
蜗牛的身上，然后你们就一起摔在了地上。我
kàn nǐ yí dòng bú dòng hái yǐ wéi nǐ sǐ le ne
看你一动不动，还以为你死了呢。”

“哼，我哪是那么容易死的！”木木大声吼着，“我问你，那只蜗牛去哪儿啦？”

“在那儿！”苍蝇连忙回答。木木转过头，却什么也没看见。

yīng yīng yīng bèi hòu tū rán xiǎng qǐ cāng ying shān dòng chì
“嘤嘤嘤”，背后突然响起苍蝇扇动翅
bǎng de shēng yīn mù mu mǎ shàng yì shí dào zì jǐ bèi piàn le
膀的声音。木木马上意识到自己被骗了，
jǔ qǐ qián zú dà jiào dào nǐ gěi wǒ xià lái cāng ying pán
举起前足大叫道：“你给我下来！”苍蝇盘
xuán zài mù mu de tóu dǐng shuō mù mu a wǒ fā xiàn nǐ zuì
旋在木木的头顶，说：“木木啊，我发现你最
dà de qiáng xiàng jiù shì zhuāng sǐ
大的强项就是装死……”

bì zuǐ mù mu nù chì dào wǒ dāng shí shì shuāi yūn guò
“闭嘴！”木木怒斥道，“我当时是摔晕过
qù le yūn cāng ying qiāo le qiāo jiǎo xià de yè zi shuō nà
去了！”“晕？”苍蝇敲了敲脚下的叶子说，“那
nǐ kàn kan zhè xià miàn shì shuí nǐ de shǒu xià bài jiàng dōu méi yūn nǐ
你看看这下面是谁？你的手下败将都没晕，你
dào xiān yūn le kě zhēn hǎo xiào
倒先晕了，可真好笑！”

zài lǜ lǜ de cǎo cóng zhōng yǒu yì zhī hěn xiǎn yǎn de bái sè wō
在绿绿的草丛中，有一只很显眼的白色蜗

niú zhèng màn màn shùn zhe cǎo jīng xiàng shàng pá kàn jiàn zhè zhī yǎn shú
牛，正慢慢顺着草茎向上爬。看见这只眼熟

de wō niú mù mu dùn shí lèng zhù le zhǐ tīng jiàn cāng ying de shēng yīn
的蜗牛，木木顿时愣住了，只听见苍蝇的声音

zài ěr biān wēng wēng zuò xiǎng
在耳边嗡嗡作响：

zé zé méi xiǎng dào wēi wǔ de guì zi shǒu yě huì yòng zhuāng
“啧啧……没想到威武的刽子手也会用装
sǐ lái duǒ bì wēi xiǎn ài bù zhī dào dà jiā zhī dào hòu huì zěn me
死来躲避危险！唉，不知道大家知道后，会怎么
kàn a nà yí kè mù mu jué de nán shòu jí le tā bǎ qián zú
看啊？”那一刻，木木觉得难受极了，它把前足
shēn shēn de chā jìn shā li jié lì shǐ zì jǐ bǎo chí lěng jìng
深深地插进沙里，竭力使自己保持冷静。

yì lián jǐ tiān mù mu dōu méi zěn me chū guò mén
一连几天，木木都没怎么出过门，
ǒu ěr chū lái mì shí yě shì zài shēn gēng bàn yè de
偶尔出来觅食，也是在深更半夜的
shí hou tōu tōu mō mō de chū lái wǒ zhēn de méi
时候，偷偷摸摸地出来。“我真的没
yǒu liǎn jiàn zhè lǐ de jū mín a mù mu pā zài shā
有脸见这里的居民啊！”木木趴在沙
tān shang duì zhe yì wān xīn yuè wú xiàn gǎn kǎi
滩上，对着一弯新月，无限感慨。

gā　yì zhī hǎi niǎo tū rán jīng jiào zhe xiàng tiān kōng fēi
“嘎——”一只海鸟突然惊叫着，向天空飞
qù　mù mu gǎn jǐn zuān dào shā lì zhōng duǒ le qǐ lái　guò le hǎo yí
去。木木赶紧钻到沙砾中，躲了起来，过了好一
huì er cái pá chū lái　ài　mù mu tàn le kǒu qì shuō　nán dào
会儿才爬出来。“唉……”木木叹了口气说，“难道
wǒ yǒng yuǎn dōu yào guò zhè zhǒng dōng duǒ xī cáng de rì zi ma　nà
我永远都要过这种东躲西藏的日子吗？”那
yí yè　mù mu xiǎng le hǎo jiǔ hǎo jiǔ　tā zài xīn zhōng àn àn zuò le
一夜，木木想了好久好久，它在心中暗暗做了
yí gè jué dìng
一个决定。

dì èr tiān luò rì de yú huī zài cì sǎ biàn le shā tān mù mu
第二天，落日的余晖再次洒遍了沙滩。木木
zuān chū dòng kǒu yí bù yí bù jiān dìng de xiàng cǎo cóng xī bian zǒu qù
钻出洞口，一步一步坚定地向草丛西边走去，
yīn wèi jū mín men cháng cháng huì zài huáng hūn shí kè dào nà lǐ xī xì
因为居民们常常会在黄昏时刻到那里嬉戏。

yō qiáo qiao shì shuí lái le nà bú shì wǒ men de
“哟，瞧瞧是谁来了？那不是我们的
zhuāng sǐ dà shī ma yè jiān shang de cāng ying fā xiàn le
装死大师吗？”叶尖上的苍蝇发现了
mù mu de shēn yǐng mù mu tái qǐ tóu wàng zhe cāng ying dà
木木的身影。木木抬起头，望着苍蝇，大
shēng shuō duì wǒ shì yǒu zhuāng sǐ de ruò diǎn wǒ yě hài
声说：“对，我是有装死的弱点！我也害
pà dà jiā yīn wèi zhè ge kàn bu qǐ wǒ kě shì zhè jiù shì wǒ
怕大家因为这个看不起我，可是这就是我
a shuí méi yǒu gè quē diǎn ne quē diǎn yě shì zì jǐ de yí
啊。谁没有个缺点呢，缺点也是自己的一
bù fen a
部分啊！”

shuō de hǎo mù mu wǒ yǒng yuǎn zhī chí nǐ qīng tíng kàn
“说得好，木木，我永远支持你！”蜻蜓看
zhe mù mu zàn xǔ de shuō
着木木，赞许地说。

hǎo yàng de mù mu nǐ zuò le wǒ bù gǎn zuò de shì gè wèi
“好样的木木，你做了我不敢做的事。各位，
qí shí wǒ yě yǒu zhuāng sǐ de ruò diǎn dàn shì hài pà nǐ men xiào hua
其实我也有装死的弱点，但是害怕你们笑话
wǒ suǒ yǐ yì zhí méi gǎn chéng rèn qī xīng piáo chóng dī zhe tóu
我，所以一直没敢承认！”七星瓢虫低着头
shuō méi guān xi shuí méi yǒu gè quē diǎn ne hú dié yòng chì bǎng
说。“没关系，谁没有个缺点呢！”蝴蝶用翅膀
qīng qīng pāi le pāi qī xīng piáo chóng
轻轻拍了拍七星瓢虫。

nǐ men xiǎng gàn shén me cāng ying tū rán yì shí dào jū mín
“你们想干什么？”苍蝇突然意识到居民

men dōu zài dèng zhe zì jǐ bié zhè yàng ma wǒ shì cuò le kě shì
们都在瞪着自己，“别这样嘛，我是错了，可是

shuí méi yǒu gè quē diǎn ne nǐ bù yí yàng nǐ tài huài le
谁没有个缺点呢？”“你不一样，你太坏了！”

jū mín men yì kǒu tóng shēng de shuō jiē zhe jiù yì qí xiàng cāng ying pū
居民们异口同声地说，接着就一齐向苍蝇扑

le guò qù
了过去……

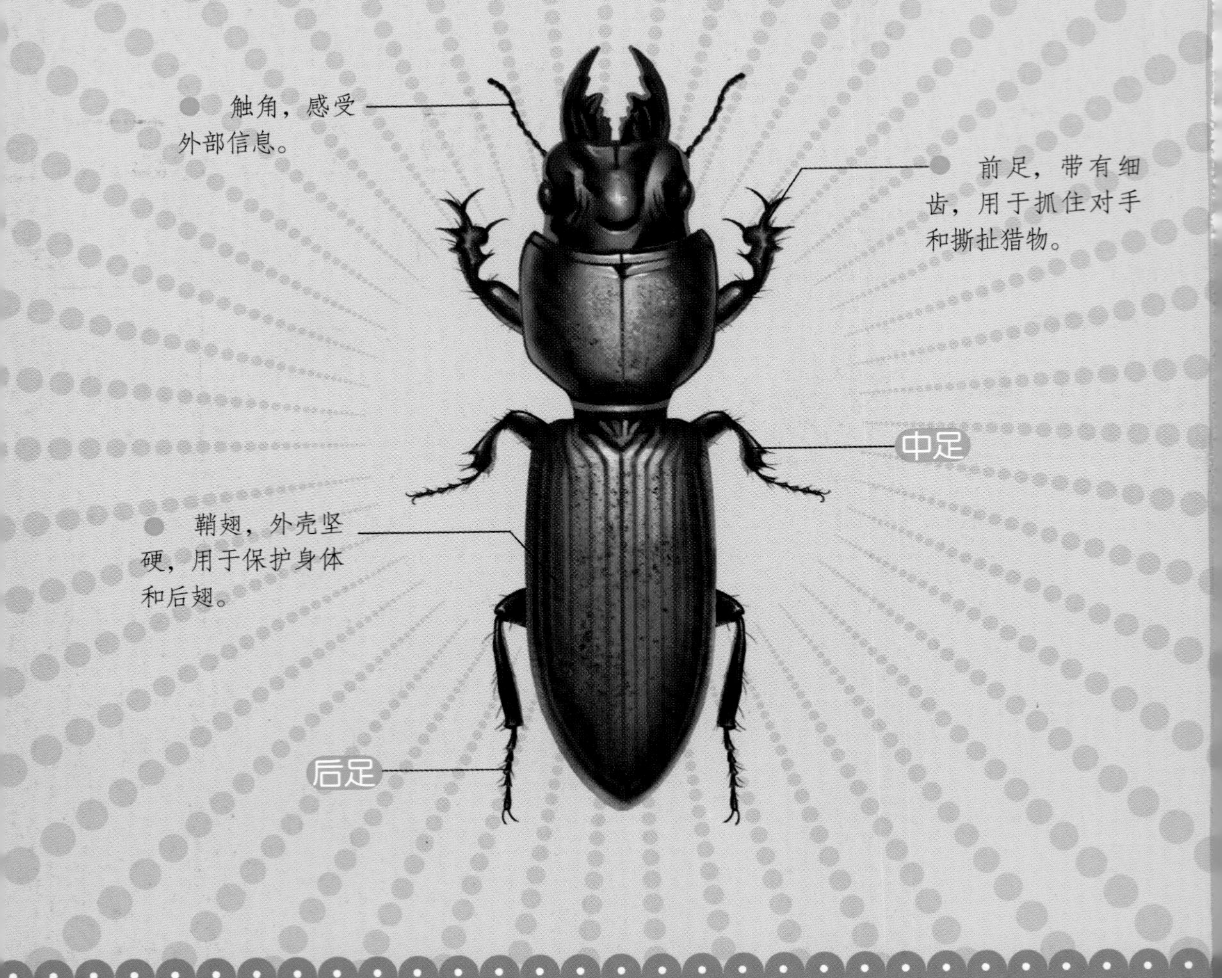

大头黑步甲，步甲的一种，头大腰细，天生一副蛮力。它胆大包天，敢于向身材魁梧的对手进攻，哪怕还隔着一段距离，它都会伸出爪子将猎物抓住，并拖到屠宰场。然而这个胆大凶残的家伙，却有个装死的特性。在身体受到震荡后，它就会仰面躺下，一动不动，就像死了一样。